AMUSE-TOI, MARILOU MELON!

PATTY LOVELL   DAVID CATROW

TEXTE FRANÇAIS DE
HÉLÈNE RIOUX

SCHOLASTIC

Catalogage avant publication de Bibliothèque et Archives Canada

Lovell, Patty, 1964-
[Have fun, Molly Lou Melon. Français]
Amuse-toi, Marilou Melon! / Patty Lovell ; illustrations de David Catrow ; texte français d'Hélène Rioux.

Traduction de : Have fun, Molly Lou Melon.
ISBN 978-1-4431-5358-4 (couverture souple)

I. Catrow, David, illustrateur II. Titre. III. Titre: Have fun, Molly Lou
Melon. Français.

PZ23.L678Am 2016   j813'.6   C2016-900480-5

Édition publiée par les Éditions Scholastic, 604, rue King Ouest, Toronto (Ontario) M5V 1E1

5 4 3 2 1   Imprimé au Canada 114   16 17 18 19 20

L'éditeur n'exerce aucun contrôle sur les sites Web de tiers et de l'auteure, et ne saurait être tenu responsable de leur contenu.

Conception graphique de Ryan Thomann.
Le texte a été composé avec la police de caractères Stempel Schneidler Medium.
Les illustrations ont été réalisées au crayon à mine, à l'aquarelle et à l'aide de collages.

Pour mon père, John Lovell, qui m'a appris à raconter des histoires avec le récit de « Chris et Cheryl », et qui m'a montré comment faire une poupée avec des roses trémières.
Et pour Susan Kochan, mon amie et éditrice, grâce à qui Marilou a vu le jour.
— P. L.

Pour Hillary.
— D. C.

Le coffre à jouets de Marilou Melon déborde de bidules de toutes les formes et de toutes les tailles. Sa grand-mère lui a dit :

— Quand j'étais petite, je n'avais pas de poupées élégantes ni de figurines. Je les fabriquais avec des brindilles, des feuilles et des fleurs comme des roses trémières et des marguerites.

Alors, c'est ce que fait Marilou.

Dans la cour de Marilou Melon, il y a un grand saule pleureur et un vieux muret de pierre. Beaucoup de trucs magiques surgissent des crevasses.

Sa grand-mère lui a dit :

— Quand j'étais petite, je n'avais pas de maison de poupée toute neuve. J'en ai construit une dans ma cour.

Alors, c'est ce que fait Marilou.

Le garage de Marilou Melon est plein de boîtes de toutes les couleurs.

Sa grand-mère lui a dit :

— Quand j'étais petite, je n'avais pas d'auto de course. Je m'assoyais dans une boîte de carton et je dévalais la colline.

Alors, c'est ce que fait Marilou.

Marilou Melon s'allonge dans
l'herbe haute.

Sa grand-mère lui a dit :

— Quand j'étais petite, je n'avais
pas la télévision. Je regardais
les nuages flotter dans le ciel
et j'y voyais plein de choses
extraordinaires.

Alors, c'est ce que fait Marilou.

Un jour, de nouveaux voisins emménagent à côté de chez elle. Quand Marilou Melon vient saluer Julie, leur petite fille, elle l'entend dire à sa mère :

— Je m'ennuie, je m'ennuie, JE M'ENNUIE!

Alors, Marilou Melon invite Julie à venir jouer chez elle.

Le lundi, Julie apporte sa superbe maison de poupée Katie chérie. Il y a tout ce qu'il faut dans cette maison, même un mélangeur électrique et des lustres qui s'allument.

Marilou Melon montre à Julie son palais dans l'arbre. Il y a tout ce qu'il faut dans ce palais, même des assiettes en cupules de glands, un ventilateur en feuilles et un bain à remous pour les cigales. Julie n'en revient pas.

Le mardi, Julie arrive dans sa magnifique décapotable électrique.

— Chaud devant! crie Marilou Melon.

Et elle atterrit au pied de la colline dans son super tacot turbo décoré de flammes rouge et orange, peintes à la main. Julie n'en revient pas.

Le mercredi, Julie prend son téléphone cellulaire pour appeler Marilou Melon. Mais elle entend alors un bruit étrange. C'est une vieille boîte de conserve qui se balance sous sa fenêtre.

— Ici l'opératrice. Acceptez-vous un appel de Marilou Melon?

— Euh... oui, répond Julie.

— Super! Viens chez moi!

Clic!

Julie n'en revient pas.

Le jeudi, Julie invite Marilou Melon à venir regarder des dessins animés sur son téléviseur à écran géant.

— C'est un écran immense! Trois mètres!

— Non merci, pas aujourd'hui, répond Marilou Melon. Je vais aller regarder les nuages. Ils remplissent l'IMMENSITÉ du ciel!

Julie n'en revient pas.

Le vendredi, Julie arrive avec une poupée qu'elle a fabriquée. La jupe est en pétales de rose trémière et les cheveux sont des violettes.

— C'est pour ton palais, dit-elle.

Et Marilou Melon n'en revient pas.

Le vendredi soir, Marilou Melon et Julie
sont fatiguées, TRÈS FATIGUÉES après avoir
passé la semaine à jouer. Elles s'allongent
dans l'herbe haute et regardent les nuages.

— Je vois un papillon! dit Julie en pouffant
de rire. Et voici un pingouin!
Et là, c'est un frigo!

Marilou Melon écarquille les yeux. Un grand sourire se dessine sur son visage.

— Je vois un nuage en forme de grand-mère qui me fait un clin d'œil!

Et Marilou Melon lui en fait un à son tour.